너는 내 것이 아니다

KB103144

김의수 (uskim2004@naver.com)

한국외국어대학교 사범대학 한국어교육과 교수. 생성문법 차원에서 문장의 구조, 어휘부와 통사부에 존재하는 불확정성을 탐구하였고, 한국어 문장 분석을 위한 해석문법 이론을 창안하여 국어교육과 한국어교육, 통번역 등에서 응용언어학적 연구를 수행하고 있으며, 최근에는 언어에 대한 철학적 연구에도 관심을 기울이고 있음. 고려대학교 국어국문학과 및 동 대학원에서 학사, 석사, 박사를 마치고, 영국 런던대학교 SOAS에서 박사 후 연수를 함. 고려대와 한국외대에서 세 차례 최고의 강의상을 받았고, 동숭학술논문상과 학범 박승빈 국어학상을 수상함. 우리어문학회 총무이사, 한국외국어대학교 한국학센터 및 한국어문화교육원 원장을 지냄. 저서로는 『한국어의 격과 의미역』(2006), 『문법 연구의 방법 모색』(2007), 『언어의 다섯 가지 부문 연구』(2016), 『문법 연구의 주제 탐색』(2017), 『해석문법의 이론과 실제』(2017), 『언어단위와 인지체계의 불확정성』(2021), 『문장 분석』(2023), 『젊은 나에게』(2024) 등이 있음.

너는 내 것이 아니다

발 행 | 2024년 1월 22일
저 자 | 김의수
펴낸이 | 한건희
펴낸곳 | 주식회사 부크크
출판사등록 | 2014.07.15.(제2014-16호)
주 소 | 서울특별시 금천구 가산디지털1로 119 SK트윈타워 A동 305호
전 화 | 1670-8316
이메일 | info@bookk.co.kr

ISBN | 979-11-410-6796-0

www.bookk.co.kr

너는 내 것이 아니다

김의수 지음

프롤로그

-안부 인사-

간밤에 잘 잤어?
오늘 아침도 좀 춥지
따듯하게 입어
감기 들지 않게

마음이 춥더라도
그럴수록 차라도 마셔 봐
찾아보면 어디 뒹굴고 있는
둥글레나 보리차 있을 거야

그걸
뜨거운 물로 우려내어
눈물 대신 찻물로
따듯하게 ~~목을~~
마음을 적셔 봐

눈을 감아 봐
여기까지 왔어
결코 쉬운 길이 아니었어
고생 많았어

마음 단단히 먹어
앞으로 갈 길이 멀잖아
무슨 일이 또 기다릴지 몰라
그치만 벌써부터 걱정하진 말자

오늘만큼은
아무 일 하지 말고
푹 쉬어
만두 사줄까?

떡볶이가 더 좋아?
아무렴 어때
맛있는 거 먹어
힘내야지

라디오 들어 봐
클래식 에프엠도 좋아

무심한 듯 마음을 쓸어 줘
선곡할 필요도 없이 그저 들으면 돼

난 오늘도 일하러 나가야 돼
일요일이지만 괜찮아
나 혼자 하는 거 아니야
얼른 다녀올 게

오늘 하루만큼은 푹 쉬어
약속해
너라도 잘 쉬어야지
알았지?

다음에 또 연락할 게
잘 있어
건강히
안녕!

친구가

차 례

1

너는 내 것이 아니다

아들아, 너는 내 것이 아니다
나는 너를 위해 목숨을 내어 줄 수도 있다
그건 네가 내 것이 아니기 때문이다
누구도 자신의 몸을 위해 자신을 희생하지는 않는다

아들아, 나도 네 것이 아니다
지금 내가 나를 네게 온전히 쏟아붓는 것도
내가 네 것이 아니기 때문이다
네가 잘 자라 나를 떠나 훨훨 날아가길 바라서다

그러니 아들아,
나와 상관없이 너는 너로서 온전해야 한다
네가 나의 것이 되려고 노력해서는 안 된다
너는 네 스스로의 것이 되어 살아가야 한다

그것이 나로서 너를 낳은 보람이다
그러니 아들아,
너는 내 것이 아니다

퍼즐

-시작도 끝도 알 수 없는-

어떻게 하지?
그래, 그렇게 어떤 곳에서든 시작하면 돼

똑같은 거 찾아야 하는데
맞다!

그런데 얘 얼굴이 어디 있지?
맞다!

여기다! 여기야!
봐, 봐, 여기잖아!

그래
정말 그렇네

아이야,
그렇게 찾아가는 거야

아빠도 너처럼
지금도 그렇게 삶의 퍼즐을 맞추고 있단다

어디서든 시작해서
언제 끝날지 모르는 퍼즐을

오늘도 그렇게
이젠 너와 함께 찾아 간단다

경이와 숭고

나와 다른 존재 앞에서 느끼는 머리 숙임
그것은 경이다
인간은 경이로움을 느낄 줄 알기에
동물에서 인간으로 다시 태어난다고 한다

나와 다른 압도적인 존재 앞에서 산산이 부서지는 나
그것은 숭고다
인간은 숭고함을 느끼는 순간
한 인간에서 다른 인간으로 다시 태어난다고 한다

아이는 태어나서 모든 사물이 새롭다
매 순간 세계와 사물을 경이의 눈으로 바라본다
아이가 어른이 되면 더 이상 경이로움을 쉬 느끼지 못한다
이제 경이로움을 넘어 숭고함이 절실하다

누군가는 말한다
사람들은 두 부류로 나뉜다고
그랜드 캐니언을 본 사람과

보지 못한 사람으로

규모와 크기에 압도당해
그 앞에서 내가 산산조각이 난다고
그리고 깨어진 나는 다시 태어난다고,
더 작아졌지만 더 커진 나로

경이에 가득 찼던 나는 어디에 있는가
나의 그랜드 캐니언은 무엇인가
아이가 어른이 되어 자연을 찾는 이유는
경이가 필요한 것이다, 아니 숭고가 필요한 것이다

멋진 작품 앞에서 오열할 수 있어야 한다
그런 작품이 필요하고
그 앞에 서는 내가 필요하다
나는 그런 존재 앞에 종종 서야 한다

그런데 내가, 나 자체가 이미 그런 존재라면?

아이에게 아빠는 슈퍼맨이고 엄마는 원더우먼이다
부모는 경이와 숭고를 넘어 그냥 되고 싶은 존재 자체다
아이일 때는 경이를 좇고 나이 들며 숭고를 찾지만
부모가 되어서는 경이와 숭고로서 살아가게 된다

아이 앞에서 난 이미 경이와 숭고로 가득한 세계다
큰 바위 얼굴을 보던 내가 큰 바위 얼굴이 되는 것이다

나무

-유년의 기억-

그곳에 벼락 맞은 큰 나무가 있었다
나무는 그렇게 서 있었다
그래서 그곳은 큰나무있는데라고 불렸다

언젠가 큰나무있는데 옆을 흐르는 강물에
그 강물에 놓여 있는 다리에, 다리 밑에
돼지가, 돼지들이, 새끼돼지들이
버려진 채 떠내려와 정박해 있던 때가 있었다
거길 지나다가, 돼지를, 돼지 떼를 발견한 우리는
그냥 갈 수 없었다
그래서 돼지 한 마리를 골라 안았다
돼지는, 어린 돼지는 꿀꿀꿀 착하게 내게 안겼다
동생도 흥이 나 연신 고개를 끄덕이며 내 앞을 달렸다

집에 와 허술한 울타리를 만들고
돼지를, 그 돼지를 내려놓고 먹이를, 밥을 주었다.
며칠은 살더니 며칠은 시름시름하더니
돼지는 죽었다

갑자기 얻은 횡재였기에
그렇게 스러져도 아쉬워해서는 안 될 것 같았다
그 새끼돼지를 묻어주기로 했다

아직 철이 없어
뒷산, 야트막한 뒷산 기슭에 묻었다
경사진 곳에 묻힌 돼지는
비가 오고
얼마 안 가 앙상한 갈비뼈를 드러냈다
다시 묻어 주고 싶었지만
방법이 없어
그냥 그 위로 흙만, 두꺼운 흙만 손으로 두드려 주었다
그렇게 돼지는 나무의 먹이가 되어 자랐다

돼지 위에 자란 나무들은, 그 작은 나무들은
내가 심지도 않은 그 나무들은 돼지 나무였다
돼지 나무는 청개구리 같은 우리에게
비가 오면 생각나는 나무가 되었다

이렇게 바람 불고 비 오는 날이면
나는 문 밖의, 뒷산의, 그 기슭의
돼지 나무를 생각했다
돼지는 나무가 되었고
나무는 그 뒤로 계속 내 생각으로 자랐다
큰나무와 돼지와 작은나무는
모두
내 기억의 일부가 되었다
내 일부가 되었다

큰나무있는데는
작은나무있는데로 옮아 와
내 각별한 유년이 되었다
그렇게 작은 나무는
이젠 큰 나무가 되었다

기억되지 않은 경험

-기억과 경험과 시간의 분리-

과거는 다 경험된 게 아니다
내가 태어난 것도 경험된 게 아니다
기억에 없다
대출하려 해도 기억의 목록에 없다

남들은 내가 태어나는 걸 봤다는데
난 본 적이 없다
유독 나에 관한 일에 대해
남들의 기억에 많이 의존해야 한다

세상에 던져진 나
내가 보는 세상에 정작 나는 없었다
태어난 지 한참이 되어서야
내가 나인 줄 알았다

경험되지 않은 과거를 지나
경험된 과거를 통해 걷더니
경험되는 현재를 마치

경험되지 않은 과거처럼 살고 있는 나를 문득 느꼈다

과거의 처음과
현재의 처음은
그렇게
경험되지 않은 기억이었다

시간이 갈수록 자의 반 타의 반
기억은 가물거려 다시
오직 남들만 기억하는
나의 과거가 쌓인다

나 역시
기억되지 않은
남들의 무수한 기억들을
가지고 산다

사람들은
자신의 기억되지 않은 경험들을 타인의 기억 속에 맡겨두고
타인의 기억되지 않은 경험들을 자신의 기억 속에 맡아두고
그렇게들 살아간다

기억되지 않은 경험은
경험되지 않은 과거다
경험되지 않은 미래도
기억되지 않은 경험이다

기억되지 않은 경험은 그래서
나의 과거와 현재, 미래 즉
나의 생애를 가득 채운다
기억과 경험과 시간은 별개다

나로부터의 자유

Humility is not thinking less of yourself;
it is thinking of yourself less
source: HTB Church, UK

겸손이란
나를 작게 생각하는 게 아니라
나를 생각하는 것을 적게 하는 것이라고 한다

나를 작게 생각하는 것이란
나를 원래의 나보다 작게 생각하는 것,
내가 줄어드는 것이다

그러나 나를 생각하는 것을 적게 하는 것이란
나에 대한 생각을 줄이는 것,
나에 대한 생각에만 집중하지 않는 것이다

내가 나에게 점점 더 집중할수록
나의 문제는 점점 더 커지고
작은 문제도 큰 문제가 되어 나를 괴롭힌다

내가 나에게 덜 집중할수록
나의 문제는 작아지고
큰 문제도 작은 문제가 되어 나에게서 멀어진다

겸손이란 말에 두려워지는 까닭은
내가 작아질까 봐
그러다가 없어질까 봐서이다

그러나 진정한 겸손은
나를 그대로 놓고
시야를 넓히는 것이다

그렇게 하면
세상에 나 혼자만 들어앉아 있는 거 같다가
나와 함께 남도 숨 쉬고 있다는 길 깨닫게 된다

그래서 겸손은
나로만 고독한 세상에서 벗어나
남들과 울고 웃는 세상으로 나가는 출구이다

절제도 절제가 필요해

Everything in moderation, including moderation.
                                    Oscar Wilde

절제하는 것도 절제해야 한다
절제만 한다면 숨이 막히거나
숨은 안 막혀도 재미가 없거나
재미가 없진 않아도 불가능할 것 같다
이 세상 사람이 아닐 것 같다
그래서 절제도 절제가 필요하다
슬퍼할 일은 진정으로 슬퍼해야 하고
기뻐할 일은 진정으로 기뻐해야 한다
그렇게 슬퍼하지도 기뻐하지도 못하는 건
영혼 없는 기계가 제일 잘할 것 같다
절제가 제일이라고 말하며
사람을 자꾸 영혼 없는 기계처럼
살라고 하지는 말아야 할 것 같다
절제할 때 절제하고
질세하지 말아아 할 내 질세하시 말사
사랑은, 진정한 사랑에는 절제가 없을 것 같다

넘어져도 다시

넘어져도 다시 일어난다
넘어져도 다시 일어나야 한다
넘어지려고 해서 넘어진 게 아닌데
그래서 넘어진 건데
다시 일어나지도 못하면 억울해서 어쩌는가
바보같이 내가 잘못하여 넘어져도
바보처럼 그렇게 계속 넘어져 있지 말고
얼른 일어나 먼지 털고 세수하고
바보처럼 웃으며 다시 시작해야 하는 거 아닌가
나도 넘어질 수 있고
남도 넘어질 수 있고
혼자서 넘어질 수도 있고
같이 넘어질 수도 있다
혼자서든 같이든
넘어지면 다시 일어나야 한다
넘어진 사람이 다시 일어날 수 있게 해 주어야 한다
언제든 넘어질 수 있다
다시 일어나야 한다

그것 외엔 방법이 없다
넘어져 계속 그렇게 있으면
다시 넘어질 기회마저 없게 된다
넘어져 다시 일어나는 건
다시 일어나려 애쓰는 건
차라리 아름답지 않은가
아름답지 않아도 눈물겹지 않은가
눈물겹지 않아도 인간답지 않은가
인간이 인간다우면 됐지
뭘 더 바라겠는가
그래서 난 오늘도 여전히
넘어질 때마다 다시 일어나려 한다
넘어지고 싶지 않지만
어쩔 수 없이 혹은 바보같이
넘어지게 될 때
다시 일어나려 한다
멋쩍게라도 웃으며
다시 일어나
발걸음을 뗀다

살 만한 가치

살아 있다면
그것으로
이미
살 만한 가치가 있다

왜 살아야 하나
묻고 있어도
이미
나는 살고 있다

왜 살아야 할까 묻는 것은
잘 살기 위해서이지
살지 말지
결정하기 위해서가 아니다

왜 살아야 할까
묻는 것보다
어떻게 살아야 할까

묻는 게 더 낫다

왜 살아야 하나를
알지 못하면서도
다들 살고 있는 게
현실이다

현실은
현실이다
현실을
무시하지 말자

문제를 풀고 있는데
어떤 문제가 나올지도 모르는데
정답을 알기 전에는 문제 풀지 않겠다는 게
논리적으로 말이 되는가

정답은

문제를 풀면서
차례차례
알아내는 것

정답이 주어지지 않았다고
그래서 삶을 살까 말까 고민하는 건
앞뒤가 안 맞는다
셈이 잘못됐다

살 만한 가치는
살면서 만들어 가는 것이다
살기 전에 가치를 결정하고
자, 이제부터 저 살아요 하는 경우는 없다

다른 데서 가치를 구하지도 말자
이미 나는 살아 있고
나만이 가지고 있는 가치들도 얼마든지 있다
그걸 찾아내자

사실
그걸 몰라도
이미
나는 온몸으로 그걸로 살아가고 있다

굳이
내 눈으로 확인하고 싶다면
좀 더 자신의 눈을 가다듬어 보자
그래서 더 너그러운 눈으로 나를 보자

너그러워진 마음으로
살아 있다는 것을 겸손하게 일단 받아들이고
그리고 나서 너그럽게
나를, 세상을 바라보자

살아 있다는 것으로
이미
살 만한 가치는

충분하다

무언가
더 원하는 건
이미
잉여가치다

살아 있다는 게
그렇게 간단하지 않고
함부로 포기할 수 없는 일이란 걸
나는 그냥 이미 잘 알고 있다

그걸
배우지 않아도
이미 느끼고 있다는 걸
자꾸 왜 못 느끼려 하는가

주어진 것에

주어진 느낌에
가까운 것에
우선권을 주자

주어지지 않은 것에
주어지지 않은 생각에
멀리 있는 것에
차선권을 주자

주어져 있는 것은
이미
주어져 있는 것이므로
소중하다

욕심내다가
가지고 있는 것마저
잃지는
말자

삶의 이유

-영화 Arrival이 말해 주는 것-

알지 못한 채 태어나
알지 못한 채 죽는 게
우리네 삶이다

알고 태어나
알고 죽은 건
예수님이다

그분은 죽을 때를 알고
하나님 아버지께
피눈물을 흘리며 기도했다

제발 이 잔을 치워 달라고
하실 수만 있다면 부디 이 잔을 치워 달라고
그러나 아버지 뜻대로 하시라고

우리도 죽을 때를 알게 되면
예수님처럼 기도를 하게 되지 않을까

더 처절하게 피눈물 흘리면서 기도하지 않을까

모르고 태어나
모르고 죽는 건
다 이유가 있을 것이다

죽을 때를 아셨던 예수님은
인류를 구원하려고 대속하려고
죄 없이 죽으셨다

우리도 무언가 이유가 있어 죽는 거라면
우리는 그 무언가의 이유를 감당할 수 있을까
예수님처럼 죄도 없는데 죽으라고 하면 감당할 수 있을까

감히 예수님 정도는 아니시만
남을 위해 단 한 사람을 위해
대신 죽으라고 하면 선뜻 죽을 수 있을까

태어나는 것도
죽는 것도
우리가 쉬 감당할 수 있는 일이 아니다

태어나
앞으로 무슨 일을 겪을지 다 알고도
과연 과감히 태어날 수 있을까

살다가
앞으로 어떻게 죽을지 다 알고도
죽을 곳으로 과감히 걸어갈 수 있을까

쉽지 않다
기권하는 사람이, 포기하는 사람이
속출할 것이다

그래서
태어나지도 않고

태어나지도 않으니 죽지도 않을 것이다

우주는 오로지 적막만이 감돌 것이다
차라리 그게 좋은가
차라리 그게 최선인가

영화 Arrival에서
주인공 여인은
딸이 어린 나이에 병으로 죽을 줄 알고도 딸을 낳았다

영화를 같이 본 아내와 그에 대해 얘기했다
당신은 그래도 딸을 낳을 것 같으냐고
그땐 우린 아직 애가 없는 때였다

니는 치미 낳을 수 없을 짓 같다고 말했나
그러나
아내는 자신은 낳을 것 같다고 말했다

비록 딸의 죽음을 보게 되는 건 슬프지만
딸과 함께 했던 시간의 그 삶은 무엇과도 바꿀 수 없이 소중하니
그러니 일찍 죽는 딸이더라도 자기라면 그런 딸을 낳을 거라고 했다

영화에서 주인공 여자의 남편은
그걸 알고도 딸을 낳은 아내를 용서하지 못하고 떠났다
아내는 그렇게 남편이 떠날 줄 알고도 그 남편과 결혼을 하였다

죽을 줄 알고 낳은 딸과
떠날 줄 알고 결혼한 남편
주인공 여자의 사랑은 그렇게 감당할 수 없을 만큼 놀라웠다

그 영화는 외계인 영화가 아니다
그 영화는 사랑을 다룬 영화다
사랑이 얼마나 끔찍하게 어렵고 위대한지 보여주는 영화다

지금 하나님께
도대체 왜 우리를 낳으셨냐고

여쭈어 본다면

아마도
영화 Arrival을 보라고
그걸 보고 힌트를 얻으라고 하실 것 같다

왜 우주를 창조하고 나서
굳이 인간을 창조하셨는지
왜 그럴 수밖에 없었는지

결국
사랑해서
라고

인간이 하나님을 배신할 줄 알고도
그런 인간을 위해
당신의 아들이 대신 죽게 될 줄 알고도

사랑해서
사랑해서
사랑해서

그렇게
할 수밖에
없었다고

문어

-my octopus teacher-

남아프리카 남해안 다시마숲 사이로
오십은 돼 보이는 남자가
웃통을 벗고 물결을 가르며 헤엄친다

그가 젊었을 때로 화면이 바뀌며
건장하고 머리 긴 그가 등장한다
카메라를 메고 미소 지으며 화면을 응시한다

그렇게 오랜 세월 동안 다큐멘터리를 찍고 나서
그는 그만 모조리 지쳐 버려
더 이상 카메라 만지는 것도 싫어 남해안으로 숨는다

긴 시간 슬럼프에서 허우적대다
다시 용기를 내어
짐 앞의 바디를 그급빅 헤엄지다

다시마숲 사이로 드러난
얕은 바다 돌 틈 사이로

문어 한 마리를 발견한다

그때부터
문어와 그의 만남이 시작되어
날짜가 숫자로 매겨진다

처음 만났을 때 문어는 틈 안쪽으로 깊이 숨어 버린다
홀로 지내는 동물이라 당연한데
이 남자는 호기심에 계속 문어를 찾아간다

그러던 어느 날 문어는 더 이상 숨지 않았고
팔을 내밀어 카메라 렌즈를 만지고
그의 물안경에 빨판을 가져다 댄다

문어의 대담함에 오히려 놀란 건 남자였으나
뒷걸음치다 다시 문어에게 겨우 다가갔다
날이 흐르자 더욱 대담해진 문어는 그의 가슴에 안긴다

수시로 몸의 형태와 색깔을 바꾸며
헤엄치기도 하고 모래 바닥을 걷기도 하며
그와 물속에서 술래잡기를 하였다

순전히 폐에 담은 공기로만 수중에서 문어와 놀다가
그 남자는 제일 재미있을 때마다 번번이
수면 위로 올라와 재빨리 숨을 몰아쉬어야 했다

문어와 믿을 수 없는 교감을 하며 그는 치유되어 갔다
문어는 그의 인생 스승이었다
문어를 사랑했고 바다를, 삶을 다시 긍정하기 시작했다

그날도 문어와 즐거운 한때를 그렇게 보내고 있었는데
갑자기 파자마 상어 떼의 습격이 시작되었다
천석은 놀 틈 사이를 비십고 기어이 문어 팔 하나를 물었다

순식간에 벌어진 일이었지만 그 남자는 본능적으로
자연에 개입해서는 안 된다고 판단하고

놀란 마음으로 그저 지켜보기만 했다

살아남은 문어는 팔이 하나 잘린 채 하얗게 질려
제 집 돌 틈을 찾아 몸을 겨우겨우 밀어 넣고는
눈을 감고 호흡을 천천히 줄여 간다

충격에 빠진 남자는 뭍으로 기어 돌아와
자신의 팔다리가 잘려 피 흘리듯 고통에 빠져
개입하지 못한 자신을 원망한다

이튿날 몸을 추슬러 다시 찾은 돌 틈
다행히 문어는 살아 있었다
남자는 안도하며 먹이를 찾아 주지만 소용없었다

시간은 흘러 문어는 기력을 회복했고
놀랍게도 잘린 곳에 작은 팔이 나기 시작했다
놀라운 치유능력에 남자도 생의 의지를 강하게 느꼈다

완벽하게 복원된 팔을 놀리며 문어는 다시
남자에게 다가가 물안경이며 얼굴이며
손가락이며 가슴이며 빨판을 붙여 대며 안겼다

다시마숲이 하늘거리며 천적이 다시 등장했다
문어는 재빨리 빨판으로 주변의 조개껍데기와 돌을
모아 천연 방패로 삼아 몸 전체를 두른다

파자마 상어가 냄새를 맡고 문어를 덮쳐 물고
이리저리 비틀기 시작했다
이제는 정말 마지막 순간이 온 듯 처절했다

남자는 숨이 막혀
수면 위로 솟구쳐 올랐다
나두 그때 겨우 숨을 내신디

카메라가 다시 문어를 찾아 비추었을 때
문어는 상어의 등을 빨판으로 붙잡고 올라서 있었다!

제압당한 상어는 느리게 헤엄치며 문어를 내려놓는다

문어는 돌 틈으로 들어가 숨었고
천적은 바보가 된 채 문어 앞을 한 번 지나친 후
다시 마숲 저편으로 사라져 버린다

화면 속 숫자는 삼백을 훨씬 넘었다
그리고 남자는 말했다
문어의 수명은 이제 거의 다 되었다고

문어 두 마리가 보였고
우리 문어는 돌 틈에 들어가서
먹지도 않고 계속 야위어 갔다

부화된 새끼들이 물결에 부유하는 모습 다음으로
야월 대로 야위어 버린 문어가 돌 틈에서 겨우 나와
모래 바닥에 내려가 힘없이 누웠다

문어보다 작은 고기 떼와 불가사리들이 모여들어
아직 숨이 붙어 있는 문어를 물어뜯기 시작했다
숨이 끊어진 문어를 갑자기 나타난 상어가 채 간다

남자는 말을 잇지 못하고 한참을 울먹였다
남자는 아들과 함께 그 바다를 다시 찾았다
손가락 한 마디의 새끼 문어가 이들 손바닥에 와 붙는다

이제 남자에게는 바닷속 모든 생물이
모두 다 문어가 되어 버렸다
하나하나 너무나 소중한 생명이 되어 벅찼다

한 남자에게 생의 의미와 기쁨을 일깨워주고
훌훌 떠난 문어는 무수한 새끼와 함께
그 남자를, 나를 놀리며 마음의 바다로 다시 놀아왔다

눈

팔
오
삼
칠
잠깐만요, 어
이?
사
육?
생활하는 덴 큰 불편 없으시겠어요

두 달 전쯤 다친 눈으로
한 주 전에 검사를 했더니
기계로 잴 때는
안경 도수 한참 높여야겠어요 했다

걱정이었다
두 달 만에 과속해서 노안을 추월했으니
이대로면 어디까지 떨어질지

모르겠다

그래서 마음을 모아
육신의 눈에 마음의 눈을 더해
기계 말고 맨 눈으로 시력을 다시 검사하니
이 안경 도수로 몇 년은 쓰시겠어요 한다

기계로 잴 때는 절망이었는데
맨 눈으로 검사를 하니 희망이었다
육신의 눈이 내려앉으니
마음의 눈이 육신의 눈을 부축했다

놀랍고 신비한
마음과 몸
데카르트는 몸과 마음을 분리했지만
내 눈은 내 마음과 그렇게 합하여 있었다

촬 영

뭐 꼭 그렇게까지
예, 알겠습니다
갑자기 촬영이란다

안내를 받았다
준비된 의상으로 갈아입으란다
뭐 꼭 그렇게까지

밖에서 기다리란다
참 친절도 하시지
환복을 하고 옷고름을 매었다

나가니 웃으며 손짓하신다
다른 분께 인계되었다
참 다단계로 친절도 하시지

약간의 포즈를 주문 받았다
큰 어려움은 없었다

사실은 벌써 몇 번의 경험이 있었다

앞으로 찰칵
옆으로 손 좀 머리 위로, 예
찰칵

어떻게 잘 나왔나요?
예, 폐는 깨끗하구요
기침약 처방해 드릴 게요

아이고
다행이네
감사합니다

2

생각이 비처럼 쏟아지는 밤

도무지 잠을 이룰 수가 없다
생각이 비처럼 쏟아진다

한 번도 생각한 적 없는 생각이
나의 탈주를 허락하지 않는다

나는 생각에 취하고
생각은 나에게 취해

그저 흐르는 것은
시간 위의 생각과 생각 위의 시간

그리고 나도
생각에 떠밀려 시간 속을 흐른다

무섭게 빠져드는 생각에
무섭지는 않은 밤이다

아니, 새벽이다
어느덧 이른 아침이다

생각이 유혹하는 짙은 밤은
너무도 찬란한 대낮이다

이런!

어둔 밤
언어 안으로 나를 숨긴다

문 걸어
세상을 꽁꽁 잠근다

깜깜한 언어 안에서
생각의 불을 지핀다

눈이 맵다
잠시 문 좀

바람이 들이쳤다
불티가 날아오른다

이런!
천장이 없었다

언어 안으로 숨었더니
다시 뚜껑 열린 세상이었다

아뿔싸

생각이 있다
언어로 붙잡는다

빠져나간다
일부는 잡혔다

볼모를 이용하여
남은 생각들을 유인한다

걸려들었다
드디어 잡았다

성취감에
잠시 숨을 고른다

언어를 열어 본다
아뿔싸

몇 마리의 생각이 내뺐다
나는 눈을 끔뻑인다

불시착

활시위를 힘껏 당긴다
아직 놓지 않는다
손목과 팔목과 어깨가
견딜 수 있을 만큼 끝까지 끝까지
당기고 당겨
나를 막 올려 이제 놓는다

쏴아
대각선으로 쏘아진
허공을 질주한다
이마를 때리는 공기는
머리칼을 쥐고 이리저리
나풀거리는 눈꺼풀이 태양을 향해

손에 잡힐 듯 닿을 듯하다
이내 공기의 저항도
들뜬 마음도 줄어들고 줄어들다
어느 순간 멈칫,

곧장 수직으로 낙하
중력가속도를 타고 떨어진다

나부끼는 두 손을 팔을 어깨를 다리를 펴
공기를 저항을 부력을 얻어
속도를 줄이고 호흡도 줄이고
깃털처럼 구름 위로 살포시
내려앉아 구름 한 입 베어 먹고 입 쓱 닦는데
갑자기 바람이 부네

휘청,
아래가 푹 꺼지며
구름 속으로 미끄러져 내려간다
어둑어둑하다
쿠르르과광 벼락이 천둥이
가슴을 관통한다

벼락 맞은 가슴을 움켜쥐고

몸이 마음이 머리가 추락한다
막연하고 아련하다가
구체적이고 자세하게
풍경이 산이 밭이 풀이 보이면서
그렇게 진짜로 땅에 아이고

쿵, 데구루루
엉
근데 여기는 어디?
깜깜하네 설마 내가
아, 침대 밑
살았다

미치는 순간

-팽이-

돌아 버린다
제자리로 오지 못한다
미친다

미친다
어떤 곳에 미친다
원치 않은 곳이다

원치 않은 곳이다
돌아 버린다
미쳤다

미쳤다
확실히 미쳤다
원하는 곳으로

원하는 곳으로
미쳤다
미치는 순간이다

서성이다

마음이 서성인다
몸도 같이 서성거린다

마음이 움직인다
몸도 같이 움직이려다 그만둔다

마음이 저만치 간다
몸도 저만치 쳐다본다

마음이 이리 오라 손짓한다
몸은 그냥 가라 눈짓한다

오늘따라 왜 그러느냐 묻는다
뭘 새삼스럽게 그러느냐 답한다

마음과 몸이 따로 노는 게 어디 하루 이틀이냐고 되묻는다
마음이 서성인다

우리 계속 이렇게 지낼 거냐고 묻는다
혹시 삐졌냐고 묻는다

아니라고 소심하게 발길질한다
사실은 한참 전부터 그랬노란 몸짓이다

오늘은 그만하자 말한다
뭐 한 게 있어야지 따진다

그러니까 시작도 하지 말자 말한다
마음이 서성인다

감추며 드러내기

-혹은 드러내며 감추기-

하이데거는
존재가
존재자를 통해
자신을
드러내며 감춘다고 한다

존재자로 인해
존재를 미루어 아는데
존재자 때문에
동시에
존재가 가려진다는 거다

존재자를
통해
존재를
보아야 하는데
그게 그토록 감질나게 어렵다는 거다

감추며 드러내기 혹은

드러내며 감추기

그래서

삶도, 진실도

그렇게 매번 술래잡기를 하나 보다

질문과 대답

-진실에 이르는 길-

진실을 감추려 한다
질문으로 열려 한다

질문을 던진다
감추며 대답한다

웃는다
따라 웃는다

대답 속에 일말의 진실이 걸려 있다
그 작은 진실이 흔들거린다

진실을 알려면
질문을 던져야 한다

그 뻔한 진실을 모르고
진실을 알고 싶어도 질문을 던질 줄 모른다

질문해야 한다
질문해야 진실에 다가선다

질문을 하던 이도 질문을 받는다
그 질문에 솔직히 답하기 어려울 수도 있다

그때 묻는 이의 마음이 되어 보자
그래도 답하기 어려운 게 있다

감추며 대답해 보자
거기에 일말의 진실이 걸려 있을 것이다

거기부터 시작하자
그것부터 시작하자

시간이 들더라도
그렇게 질문하고, 그렇게 답해 보자

한 번에, 한꺼번에 다 알려 하지 말고
그렇게 묻다가 언젠가 가더라도, 갈 때 가더라도

그렇게 묻고
그렇게 답해 보자

술래잡기에서
잡기도 하고 술래도 되어 보자

빈칸 메우기

-해석의 욕망-

아직 작품이 오지 않았다
그 작품이 없는 채로
전시가 시작되었다
빈 벽이 중앙을 차지하고 있었다

하루 전날
청소하시던 분이
청소 마지막에 대걸레를 들다가
모르고 칠을 했다

전시 첫날 사람들은
무심하게 남겨진
대걸레 자국들에서
많은 걸 읽고 갔다

행사의 일환일 거야
여백의 미랄까
시대의 징후가 느껴져

부조화의 조화도

그날 전시가 끝나고
밤에 청소하시던 분이
아이고
하며 자국들을 지웠다

다음날
작품을 또 보러 온 사람들은
사라진 칠에
당황스러워했다

의도하지 않은 퍼포먼스를 두고
해석이 분분했다
급기야는 행사 기획자가 답했다
숨은 예술가를 찾고 있습니다

작품이 도착했다

작품을 또 보러 온 사람들은
채워진 벽과 채워지지 않았던 벽 사이의
관련성을 해석하려 애썼다

존재와 존재자의 틈

-하이데거로 바위 읽기-

하이데거는
존재와 존재자의 틈이
오로지 인간에서만 벌어져 있다고 했다

던져진 세계 속에서
불안으로 죽음을 깨닫고
다시 자신을 세상에 기꺼이 던져

현존재가 된 인간만이
미래의 죽음을 향하여 다시 찾은 과거로부터
시간이 흐른다고 했다

틈이 벌어졌다는 그 불완전함으로
불안을, 죽음을, 존재에 대한 물음을
느끼고 깨닫고 던진다는 것이다

존재와 존재자 사이의 틈이 없는
동물이나 식물, 광물에게는

시간도 흐르지 않고 물음도 없다고 했다

그래서
그는
인간을 감탄했지만

그래서
나는
광물이 돼 보고 싶다

시간이 흐르지 않는
동물이나 식물
차라리 더 단단한 광물이 돼 보고 싶다

존재와 존재자 간의
간극을, 그 벌어진 틈을
어떻게서든 좁히고 메워서

존재와 존재자가 하나 된
그래서 시간도 비껴가는
견고한 광물이 돼 살아 보고 싶다

시인 유치환은 죽어서 바위가 되고 싶다 했지만
나는 살아서 바위가 돼 보고 싶다
존재의 물음 없이 존재 자체가 되어 그냥 살아 보고 싶다

가죽과 습관

가죽은 피부가 껍질이 되어 살을 보호한다
살의 표면이 죽어 살의 나머지를 살린다

습관은 생각이 굳어져서 생각을 보호한다
생각 없이 행동하며 다른 생각에 깊이 빠진다

가죽은 깃털과 비늘이 되어 몸을 보호하나
습관은 예의가 되어 사람 간의 관계를 보호한다

가죽이 생물학에서 중요하듯이
습관은 철학에서 중요 대상이다

어떤 철학자는 생각의 가죽을 습관이라, 예의라 부른다
습관이 없으면 새롭고 낯선 사유도 불가능하다

습관은 삶을 단순화해 정말 중요한 것에 몰두하게 한다
아인슈타인은 오직 비누로만 세수하고 머리를 감았다

넘어서기

특별한 이유가 없으면
거부할 만한 이유가 없으면 따른다
굳이 내 주장을 내세우지 않더라도
내가 논문을 따로 쓰게 되지 못하더라도
그 사람 말이 맞으면
그걸로 족하다 생각한다

그래서 그 사람이 인도하는 대로
그 논문이 이끄는 대로 같이 걸어간다
그 사람보다도 더 그 사람 논문을 사랑하며 읽는다
마치 내가 쓴 것처럼
그 사람의 논문에 들어 있는 용어와 개념이
내 입속의 혀처럼 자유자재로 구사된다

그러다 그러다 보면
아무리 사랑하고 받아들이려 해도
도무지 납득이 안 가고 그래서
앙금처럼 남아 마침내는 독이 되어

내면의 균열을, 생각의 균열을 일으켜
종국에는 논문이, 그 사람이 산산조각 나 버리게 된다

그 논문을, 그 사람을 넘어서는 순간이다
넘고 싶으면 우선 사랑해야 한다
지극히 사랑하다 보면
그의 것이 내 것이 되고
그가 내가 된다
그렇게 불타오르다 보면 재만, 나만 남는다

내 앞에는
더 이상
사랑하는 논문도, 생각도,
그걸 만들어낸 사람도
존재하지 않는다
오로지 사랑하고 따랐던 나만 남는다

거기서 시작한다

재 위에서, 흔적 위에서
다시 시작한다
다시란 것도 잊고
처음으로 처음이 되어
그렇게 시작한다

본질의 본질은 현상이다

사람들은 있는 그대로를 보고 싶어 하지 않는다.
있는 것의 저 너머에
아마도 존재할 것 같은 것을 보고 싶어 한다.

사람들은 있는 그대로를 말하고 싶어 하지 않는다.
있는 것의 저 너머에
아마도 존재할 것 같은 것을 말하고 싶어 한다.

사람들은 있는 그대로를 설명하고 싶어 하지 않는다.
있는 것의 저 너머에
아마도 존재할 것 같은 것을 설명하고 싶어 한다.

그래서 플라톤의 이데아가 주장되었고
현실은 현상이며
현상은 본실로 극복되어야 했다.

현실을 부정의 대상으로,
극복의 대상으로 본 것은 철학만이 아니다

언어학에서도 언어 현상은 파롤로,
파롤 이면의 진짜 언어는 랑그로 불렸다.
파롤은 허상이며,
랑그는 본질로서 언어학의 진정한 연구 대상이 된다.

구조주의 언어학의 파롤과 랑그처럼,
생성주의 언어학도 언어를 둘로 나누었다.
현실의 듣고 말하는 외재적 언어는 현상이고,
이면의 내재적 언어가 본질이고 진짜 연구 대상이다.

자연과학에서도 오차와 다양한 변수가 제거된
실험실 속의 연구가 중요했다.
실험실 바깥의 날씨 변화나
수도꼭지의 물방울이 간직한 질서는 무시되었다.

그러나 우리가 정작 살고 있는 것은 현실이 아닌가?
그러나 우리가 정작 말하고 있는 것은 파롤이 아닌가?
그러나 우리가 정작 궁금한 것은 날씨가 아닌가?

우리가 살고 있는 현실을 부정하고
우리가 말하고 있는 파롤을 부정하고,
우리가 정말 궁금한 날씨를 제쳐놓는다면
철학이, 언어학이, 자연과학이 하는 일은
도대체 무엇이란 말인가?

잘난 체,
허세,
남 기죽이기인가?

그래서 나선 것이
현상학이고
나의 언어학이고
카오스 이론이다.

후설은 본질에 괄호를 치고 현상을 직시해야 한다고 주장한다.
나는 랑그에 괄호를 치고 파롤을 직시해야 한다고 주장한다.
카오스 이론은 실험실에 괄호를 치고 일상생활을

직시해야 한다고 주장한다.

현실을 진짜로 보지 않고
파롤을 진짜로 보지 않고
생활을 진짜로 보지 않으면

현실 속에 사는 우리도 부정당하고
파롤을 말하는 우리도 부정당하고
생활을 영위하는 우리도 부정당한다.

우리는 인간이라는 본질의 복제품 즉, 가짜다.
그게 이데아가 헛기침을 하면서 자상하게 일러 주는 바다.

우리의 말은 랑그라는 본질의 불완전한 실현 즉, 가짜다.
그게 랑그가 헛기침을 하면서 자상하게 일러 주는 바다.

우리의 생활은 실험실의 바깥 즉, 난장판이다.
그게 실험실 속의 과학이 헛기침을 하면서

자상하게 일러 주는 바다.

현실을 부정하는 것을 부정하고
파롤을 부정하는 것을 부정하고
생활을 부정하는 것을 부정하여

현실을 진실로,
파롤을 진실로,
생활을 진실로 받아들여야 한다.

이제는 정말 그럴 때가 왔다.
용기를 내야 한다.
본질의 본질은 현상이다.

어떤 계보의 정리

-현재 나의 철학적 좌표-

후설은 하이데거를 낳고
하이데거는
가다머를 낳았다

후설은 현상학이고
하이데거는 해석학적 현상학이며
가다머는 철학적 해석학이다

하이데거가 후설을 배신했고
그래서
가다머는 하이데거를 배신했다

후설이 괄호 친 본질을
하이데거가 존재로 되살려냈고
가다머가 지평융합으로 다시 지워 버렸다

후설은 유고를 통해 현상학을 계속 새로 쓰고
하이데거는 프랑스 현대 철학의 아버지가 되었으며

가다머는 육십 세에 주저를 내고 장수하다가 나를 붙잡았다

하이데거는 처음 나를 알아보고 후설에게 넘겼고
후설은 지향성을 내게 쥐어 주고 가다머로 인도했으며
가다머는 지평융합을 통해 내게 새 지평을 열어 주었다

나는 존재자의
지향성이 닿는 지평을
지금 새로이 융합하고 있다

3

원두막

어릴 적 우리 집 사립문 앞에서 야트막한 뒷산까지 펼쳐진
원두밭. 막 시작한 여름 한낮의 뜨거운 햇볕 아래, 연두에서
녹색으로 물들어가는 수박, 노랗다 못해 하얀 참외, 그 밖에
도 풋풋한 오이, 넉넉한 잎을 자랑하며 뻗어가는 호박 넝쿨
들이 얼키설키 서로를 엮고 있었다. 그 한가운데 원두막이
우뚝 솟았다. 네 개의 다리를 가진 꺽다리가 네모난 몸집을
하고 초가집 밀짚모자를 눌러썼다. 급하게 사다리를 걸쳐

놓았다.

다섯 살 어린 나이에 나는 고랑을 찾아 발을 디뎌 보지만
밟히는 게 수박이요 참외였다. 그렇게 발만 떼면 온갖 먹음
직스러운 것들이 밟히곤 하던 그때의 햇빛 찬란한 순간들이
곧 천국의 기억이었다. 그런 낙원에도 밤은 늘 어김없이 찾
아왔다. 밤이 되면 시골 원두밭은 온통 칠흑 같은 어둠이
내렸다. 가로등 하나 찾기 힘든 그 오래전 시골의 수박, 참
외 밭에는 오직 달빛만이 지적을 구분할 수 있게 해 줄 뿐
이었다.

시골집의 따로 떨어져 있는 방 두 칸. 안방에서는 아버지와
어머니가 나를 재우셨고, 헛간을 사이에 두고 떨어져 있는
방에서는 누나와 동생이 할머니 곁에서 잠이 들었다. 그때
의 시골 모기는 어찌나 극성이던지 모기장 없이는 한숨도
잠을 이룰 수가 없었다. 늘어진 모기장 안에서 아버지와 어
머니 사이에 내가 안락하게 잠이 들면 두 분은 일어나 원두
막으로 향하셨다. 교대로 밤을 지새우며 참외와 수박을 지
키시는 것이었다.

그러던 어느 날 홀로 자던 나는 한밤중에 눈을 뜨고 말았
다. 양 옆에 계셔야 했던 아버지와 어머니는 어디론가 사라

지고 없었다. 안락함이 공포로 바뀌는 그 순간 다시 감은 눈앞이 캄캄해졌다. 잠이 오기는커녕 심장이 점점 더 고동쳐 왔다. 장롱 어두컴컴한 곳에서 무언가 나를 노려보는 것만 같았다. 낮에 아이들 장난에 비명횡사한 개구리. 그렇다. 그것이 큼지막한 귀신이 되어 모기장 앞에 납작 엎드려 나를 응시하는 것이었다.

얼른 도망쳐야 해. 어떻게 그랬는지도 모르게 급히 모기장을 벗어나 방문이자 대문을 열고 마루로 나갔다. 방문을 내동댕이치듯 닫아 버리고 어둠 속에서 마루를 뛰어내려 고꾸라진 뒤 짐승처럼 울부짖으며 시골 마당 한복판에 섰다. 흰하게 뜬 달의 빛이 검은 산과 들을 서늘하게 물들이고 있었다. 엄마야! 아부지! 먹물 같은 어둠을 몰고 내 뒤를 바짝 쫓아오는 개구리 귀신에게서 나를 구해 달라고 목청껏 외쳐 댔다.

어디선가 한 줄기 빛이 어둠을 갈랐다. 달빛보다 강렬하고 내 목소리만큼이나 떨리던 그 빛이 이리저리 방황하다 나를 찾아 비추었다. 원두막이었다. 사립문을 밀어제치고 있는 힘껏 달리기 시작했다. 가슴 위까지 차오르는 수풀을 헤치며 오로지 원두막 손전등을 향해 뛰었다. 발가락 사이를 자갈들이 비집고 들어오고 팔과 가슴을 줄기와 잎이 막고 쓸어도 죽을힘을 다해 내달렸다. 어둠이 나를 완전히 삼키기 전에 어서, 어서.

어두운 수풀의 강을 건너 드디어 원두막에 다다랐다. 사다리의 급한 경사를 타고 사다리보다 더 길고 강한 팔이 나를 감아 원두막 안으로 옮겼다. 늘 엄하기만 하셨던 아버지는 어느 때보다도 온화한 얼굴로 나를 바라보셨다. 사방을 모기장으로 막은 평평한 네모 자리가 꽤 넓게 느껴졌다. 어머니가 건빵과 캔디, 보름달과 요구르트를 내미셨다. 어린이날에만 먹는 줄 알았는데 원두막에서 이런 걸 다 만나다니. 꿈만 같았다.

부드러운 손길이 나의 얼굴과 목, 팔과 다리, 손과 발을 쓸어 주었다. 땀과 이슬에 젖은 나의 헐렁한 몸 위로 가벼운 이불이 덮였다. 안락함이 다시 찾아들었다. 달빛은 고요했고 어둠 저쪽의 산과 들은 그저 포근하기만 했다. 이따금 봉지에서 건빵을 집어내는 소리와 그것이 입속에서 부서지는 소리, 산새 소리와 개 짖는 소리가 들려왔다. 지금쯤 안방 모기장은 어떻게 되었을까.

아이는 잠이 들었고 아버지와 어머니는 아이가 먹다 남긴 과자와 빵부스러기를 먹으며 잠을 쫓았다. 한밤의 모험과 안도, 생각지도 못했던 과자와 야외의 취침. 늘어진 내의만 입고 널빤지 위에서 잠든 그날. 너무나 포근하고 시원하고 특별했던 여름밤의 추억. 이제 아이는 그때의 아버지, 어머니보다 더 나이가 들고 말았다.

(이 글은 원래 『월간 에세이』(2022년 8월호(통권 제424호), pp.32-35)에 '여름밤의 추억'이라는 제목으로 실렸던 것을 제목을 바꾸어 여기에 다시 실은 것임)

메리의 추억

어머니는 가장 깔끔한 옷을 입혀 주셨다. 시골에서 직행버스를 타고 다시 시내버스로 갈아탔다. 고모 댁 대문이 열리고 저 멀리서 나와 눈이 마주친 것은 무심한 표정의 눈빛 또렷한 강아지였다.

그 조그만 것이 내 품에 안겨 집으로 왔다. 하루 대부분을 나 혼자 집에서 보내던 시기였다. 어머니는 남의 집 밭일하러, 아버지는 번번이 성사되지 않는 사업을 도모하러 나가셨고, 누나와 동생도 뿔뿔이 흩어져 놀았다.

이름은 메리였다. 우리 강아지는 그 작은 체구가 얼마 되지 않아 놀랍도록 발육하여 커지고 무척 길어졌다. 품종은 발바리였다. 발바리는 영특하다 했는데 우리 개도 그랬다. 신통하게도 말귀를 참 잘 알아들었다.

또한 충직했다. 같이 키우던 다른 개들은 소위 똥개라 불렸는데 밥만 주면 눈빛이 달라졌다. 주인을 물려고 했다. 그러나 메리는 밥통에 손을 넣어도 귀를 내리고 꼬리만 흔들 뿐 주인을 거스르는 법이 없었다.

여름이 되면 둘이 달리기 시합을 자주 벌였는데 빨강, 파랑 줄을 목에 걸고 쏜살같이 달려 내 앞을 가로막고 나와 껴안고 흙 밭에 나뒹굴며 씨름을 했다. 아프지 않으면서도 심각하게 내 손 무는 시늉을 그리 잘했다.

제법 성숙한 티가 나더니 외출이 잦아졌다. 헛구역질을 해 걱정했는데 어머니가 웃으며 새끼를 밴 것 같다고 하셨다. 첫 출산 때 밤늦도록 같이 있어 줬다. 이른 아침 어머니는 뜨거운 국에 밥을 말아 메리에게 주셨다.

그 몸에서 어떻게 저렇게 토실토실한 녀석들이 여섯이나 나왔는지 그저 신기했다. 강아지들은 함부로 내 손가락을 물었는데 그때마다 메리는 미안한 눈으로 물린 내 손을 핥았다. 짓무른 그 눈을 난 소매로 닦아 주었다.

첫 새끼들이 모두 장에 팔려 가는 날 우리는 많이 울었다. 동생과 누나는 어머니의 바지 자락을 붙들었고, 나는 메리의 목을 안고 털에 얼굴을 비볐다. 메리는 내게 붙들려 그렇게 서서 강아지들과 생이별을 했다.

계절은 흐르고 추억은 쌓였다. 일요일 아침 마당에 나가 보면 죽은 두더지가 양지바른 곳에 누워 있었다. 메리가 들에서 잡아 온 것이다. 그렇게 두더지며 쥐를 잡다가 놓고 먹지 않았다. 뱀들도 메리가 나서서 물리쳤다.

다시 겨울이 되고 메리는 두 번째 출산을 했다. 이번에도 튼실한 새끼들을 여럿 낳았다. 헛간에 바람 들지 않도록 둥지를 만들었다. 어느 날 밤 어머니는 다시 내일 새끼들을 장에 내다 판다고 하셨다. 다시 울었다.

다음날 아침 소동이 일었다. 밥을 주러 헛간에 갔는데 강아지들이 죄다 없었다. 오소리가 간밤에 물어 갔나? 그럴 리

가. "메리야, 어떻게 된 거야? 새끼들 어디 있어?" 얼굴을 두 손으로 감싸고 흔들었다. 메리는 다리를 절었다.

얼마 후 새끼들이 발견됐다. 마루 안쪽 깊은 곳에서 소리가 났다. 등잔 밑이 어두웠다. 기어 들어가 모두 꺼냈다. 어젯밤 새끼 내다 판다는 소리를 듣고 메리가 숨겨 놓은 것이라고 어머니가 말했다. 놀랍고도 슬펐다.

결국 새끼들은 예정대로 그날 장에 갔다. 어미는 보이지 않았다. 새끼와 어미 모두 집을 비웠다. 다리를 절며 나갔던 메리는 다음날 차에 치여 죽은 채로 아저씨들 손에 들려 있었다. 난 가슴에 메리를 묻었다.

갑자기 추워진 이 가을에, 아주 오래전 아궁이 앞에서 고구마 구워 함께 먹던 기억이 났다. "메리야, 우리 같이 오래오래 살자. 사랑해." 메리는 구멍 난 양말 사이로 비집고 나온 내 발가락들을 핥고 있었다.

(이 글은 원래 『문장 분석』(2023, 하우, pp.301-303)에 실렸던 것을 같은 제목으로 여기에 다시 실은 것임)

대화

-그날 밤의 기억-

시골집 방 하나에 오른쪽부터 아버지, 엄마, 나, 동생, 누나
그렇게 다섯이 자고 있었다.

당신은 친정으로 가.

….

애들은 내가 데려갈 게.

….

어떻게 하려구요!

….

내가 뿌린 씨니 내가 거두어야지.

….

그러지 말구 다시 해 봐요.
아니야, 다 필요 없어. 어차피 안 될 거.

아니에요. 다시 할 수 있어요.
됐어, 긴 말 필요 없어.

당신 친정 가. 아이들은 내가 데려갈 게.
안 돼요. 그럴 수는 없어요!

다시 해 봐요. 내가 더 잘할 게요

….

미안해요. 당신, 많이 힘들었죠.

….

내가 더 잘할 게요. 당신은 잘할 수 있어요.

….

우리 아이들 위해서라도 먹는장사 해 봐요.

….

뎀뿌라나 도나스 같은 거. 그런 거 하면서 아이들도 먹이고
안 팔려도 되잖아요.
그런 거 애들이 좋아하지.

그래요. 안 팔리면 어때요. 재료 떠다가 일단 만들어 팔아요.
팔고, 팔리는 대로 갚으면 되지.

그래요. 그렇게 해 봐요.

….

우리 잘할 수 있을 거 같아요.
그럴까?

그럼요. 잘할 수 있을 거 같아요. 내가 열심히 할 게요.
당신한테… 정말… 미안해서….

아니에요. 그런 말 하지 말아요.
….

날이 밝고 있었다. 오줌이 마려워서 일어나려 했지만 여덟
살짜리였지만 나는 그날 밤의 대화가 너무나 무서워서 도저
히 오줌 싸러 일어날 수가 없었다. 방광은 부어올랐지만 대
화를 들을 수밖에 없었다. 날이 밝으면서 대화도 그렇게 밝
아지는 것 같았다. 아침이 되었고 아무 일 없었다는 듯이
보리밥을 먹고 학교에 갔다. 멍하니 있는 나에게 친구가 물
었다. "너 뭐냐? 왜 그래?" "응, 나 곧 있으면 죽을지도 몰
라." 친구는 이상한 표정을 지으며 내게서 멀어졌다. 나도
친구와, 교실과, 학교와, 마을과, 세상과 멀어지고 있었다.
며칠 동안 같은 밤의 대화가 계속되었다. 나는 엄마 편에서
엄마와 같이 아버지를 마음으로 설득했다. 아버지는 엄마의
설득에 드디어 단념했다. 살았다. 왜 살고 싶어 했는지 모른
다. 본능처럼, 그냥 살고 싶었다. 그 밤들에 나만 깨어 있었
는지, 누나도 깨어 있었는지, 동생도 깨어 있었는지 모른다.
그렇게 살아남았다. 그렇게 인생의 한 페이지를 넘겼다.

타임머신

매우 피곤한 날이었다.
전날 거의 잠을 자지 못했고,
당일 수업이 제일 많은 날이었다.
유난히 목청을 돋우어 강의를 했고
목도 잘 버티어 주질 못해
집에 와 저녁 먹으면서 아내와 얘기 잠깐 나누다가
목이 아예 쉬어 버렸다.

11시부터 1시까지 이어지는
학부 강의 쉬는 시간에 왠지
아버지께 전화를 드리고 싶었다.
어머니께도 전화를 드리고 싶었다.
그러나 그러질 못했다.

집에 돌아와 늦은 저녁을 먹고
아내와 함께 소파에 앉아 타임머신이란 옛날 영화를 보다가
전화를 받았다.

급히 차를 몰아
대전으로 향했다.
먼저 도착한 어머니와 누나와 동생이
아버지의 주검을 붙들고 통곡하고 있었다.

아버지는 편안한 얼굴로 천장을 올려다보고 계셨다.
살아 계실 때에는 검붉은 모습이셨는데
돌아가신 그때에는 온몸이 하얀 빛으로 물들어 있었다.
건장했지만 야위어 버린 종아리와
여전히 골격이 굵은 아버지의 손을 만지작거렸다.
아직도 온기는 남아 있어
금방이라도 나를 보시고는 웃으시며 일어나 인사하실 것만
같았다.
큰아들 왔나!
그러나
이젠 더 이상 아버지는
나를, 가족을 쳐다보지 않으셨고
오로지 천장만 편안한 얼굴로 바라보시었다.

아버지께서 돌아가셨다.

장례를 치르면서
내게 주어진 초현실적인 상황에 당황해하면서
나는 어머니의 말씀에 귀를 기울였다.

자식들은 모른다고,
자식들은 모른다고,
부모의 마음을.

한 번 용서하고,
그래서 안 되면,
두 번 용서하고,
그래도 안 되면,
세 번 용서하고,
그래도 안 되면,
아예 용서 자체를 지워 버리는
부모의 마음을 모른다고,

모른다고,
그렇게 어머니는 자식들에게, 나에게 이야기하며
콧물을 흘리셨다.

바보 같이 나는
그때 알았다.
아버지가 나를 몇 번이고 용서해 주었다는 것을.
그때 알았다.
아버지가 나 때문에 참 마음 아팠을 것을.
그때 알았다.
이젠 더 이상 아버지와 얘기를 나눌 수 없다는 것을.

장례식 때 나를 찾아 온 학생들에게 이야기했다.
부모님 살아계실 때 효도 다하여라.
돌아가시면 아무것도 할 수 없다는 것을.

다행히
나는 아버지가 천국에 가신 것을 믿는다.

장례식이 끝나고 며칠 뒤

거짓말처럼

다시 나는 아내와 함께 소파에 앉아 타임머신을 보았다.

전화를 받고 허둥지둥 꺼 버린 그 대목부터.

전화는 다시 울리지 않았다.

모든 것이 그대로였다.

그러나 더 이상 아버지는 이 세상에 존재하지 않는다.

현금보단 현물이

어머니께 용돈을 드리면
안 받으려 하신다
맛있는 거 사 드시라고
억지로 놓고 오면
통장에만 먹이시고
본인은 안 사 드신다
도대체 그 통장은 언제 잡아드실지
종종 고민하다
가는 길에 순대라도 사 들고 간다

아내가 멀리 출장 갔을 때
굳이 밥해 주신다고 오셨다
그렇게 오셔서 하루 종일 일을 만들어 일만 하신다
또 용돈 드리면 안 될 것 같아
퇴근길에 잘하는 족발을 사 들고 왔다
입이 짧으신 어머니께서 손과 입이 분주해지셨다
어쩐 일인지 나 먹으라는 말씀도 없이
혼자서 그렇게 우적우적 잘도 드신다

이래서 자식들 앞에서 못 드셨구나
안 먹어도 배가 불렀다

고등학교 때부터 큰아들 타지로 보내고
그때부터 밥도 제대로 못 차려주셨다고 미안해하신
현금으로는 안 되고 오로지 현물만 통하는 우리 어머니
그날은 저녁도 빨리 안 차려 주시고
그렇게 혼자서 맛있게 드셨다
배가 슬슬 고파 왔지만
진풍경을 놓칠 수 없어
옷도 안 갈아입고
그렇게 계속
앉아 있었다

과자 세 봉지

그날은 학과 교수님의 지도학생 박사논문 심사였다. 내가
주심이었다. 내부 교수님들과 외부 교수님들을 모시고 심각
하게 심사를 진행하였다. 피심사자는 바늘방석에 앉아 생과
사를 오가고 있었다.

사실 그날 생과 사를 오간 건 아내였다. 출산을 얼마 앞두
지 않은 때 갑자기 복통이 심해졌다. 전치태반이란 선고를

받은 후 출산 당일까지 마음을 놓지 못할 거라 추가 경고까지 받은 터라 깜짝 놀랐다.

일단 아이를 낳기로 한 병원에 아내를 데려가 진찰을 받았다. 그러나 무심하게도 담당 의사와 간호사는 내 말을 무시하고 아내를 바로 뉘었다. 아내는 바로 눕지를 못했다. 이상하게 그러면 숨을 쉬기 불편하다고 했다.

모로 뉘어야 한다는 내 말을 무시한 지 얼마 안 돼, 아내는 정신이 희미해지면서 화장실을 가고 싶다고 누워서 맥없이 손을 내저었다. 뱃속 아이의 혈압이 곤두박질치고 있었다. 아내를 모로 뉘었다. 셋 다 살았다.

모로 누운 아내는 원기를 회복하기 시작하였다. 미안한 표정들을 뒤로하고 나는 일단 박사논문 심사장으로 바삐 이동했다. 심사를 진행하는 동안 피심사자와 주심인 나는 불쌍한 마음으로 심사가 끝나기를 바랐다.

다행히 일차 심사는 끝났고 이차 심사 날짜를 잡기로 하였다. 다들 심사를 마치고 저녁을 먹으러 갔다. 일단 식사 장소까지는 갔으나 도저히 계속 있을 수가 없었다. 사정을 이야기하고는 급히 차를 몰았다.

중간중간에 연락을 취하여 이젠 많이 안정되었으니 볼일 잘 보고 천천히 오라고, 아니 그냥 집에 가서 쉬고 내일 보자고 아내는 말했다. 차를 주차한 뒤, 병실로 곧장 가려다 가게에 들렀다.

쌀과자와 오레오 쿠키, 그 밖에 이름이 잘 기억나지 않는 과자 한 봉지. 과자 세 봉지와 평소 잘 먹지도 않는 오렌지 주스를 사 들고 병실로 찾아가 커튼을 열었다. "괜찮아?" 아내는 배시시 웃었다.

임신 후 별다른 입덧도 없이 특별히 어떤 음식을 더 찾지도 않았고 가리지도 않았던 아내. 그날 사 가지고 간 과자 세 봉지를 게 눈 감추듯 다 비웠다. 우적우적 먹는 모습이 어찌나 이쁜지 내 딸 같았다.

지금도 이름이 기억나는 그 두 봉지는 여전히 아내가 좋아한다. 살찐다며 마치 연례행사처럼 일 년에 몇 번 먹을까 말까. 그날 때문이었는지 아이도 그 과자들을 무척 좋아한다. 뭐, 일단 달달하니까 그럴 수도.

학위논문의 계절이 다가온다. 떨리는 손길들이 더욱 분주해진다. 아이의 생일도 다가온다. 부모의 나이가 만 네 살이

된다. 아이를 위한 곡도 벌써 누군가가 지어 주었다. 겨울에
태어난… 눈처럼 마알근…

아버지가 되어 아들이 되다

어두운 하늘가 널따란 등판 위에 개구리처럼 납작 붙어 있
었다. 흔들거리며 사라지는 노을과 함께 기억도 가물거린다.
엄하기만 하셨던 아버지는, 그래도 그날 나를 업어 주셨다.
대학 가서 처음 맞은 방학, 시골집에 내려가 아버지와 안방
에서 자던 때 아버지는 다 큰 대학생인 나를 갑자기 와락
끌어안고 덥지도 않으셨는지 그렇게 주무시려고 하였다. 눈
내리는 청량리 경동시장에서 삼겹살 이 인분과 소주 한 병,

한 잔 따르라 하시고 훌쩍 비우신 다음 내게도 권하셨다. 어느 가을 저녁 상 앞에서 뜬금없이 꺼낸 어릴 적 죽은 형 얘기에 어린애처럼 주먹으로 눈물 닦으시던 아버지. 앞에서는 도무지 아빠라고 부르는 걸 허락하지 않으실 것만 같았던 아버지는, 고등학교 내 자취방에는 늘 꼭 '아빠가'라고 메모해 놓고 가셨다.

수술실에서 나온 아기는 마네킹처럼 전혀 움직이지 않았다. 빨간 얼굴에 투박한 흰 가루를 가장자리마다 묻히고 두꺼운 유리를 사이에 두고 내 앞에서 모로 누워 자고 있었다. 병원에서 조리원으로, 조리원에서 집으로 데려와 이제는 내 앞 높은 침대 위에서 또 자고 있다. 집에 와서부터 계속 운다. 자다가 깨서 울고 또 잔다. 집에 온 지 이제 나흘째. 저 아이가 내 아들이라는 생각도 할 겨를 없이 그저 먹이고 재우는 데 낮과 밤을 잊었다. 잠시 조용한 틈을 타 화장실을 찾았을 때 전에 없던 흰 머리칼 몇 개가 거울에 보였다. 아버지가 되었다.

빗소리가 들린다. 아기 수면에 도움이 된다는 백색소음을 나도 같이 누워 듣는다. 아들 앞에 선 아버지의 심정이 죽 궁금했었다. 이제 아버지가 되었다. 그러나 지금은 그저 내 앞의 생명이 꺼지지 않도록 몸과 마음을 다해야 한다는 생각뿐이다. 나를 업었던, 나를 안았던, 나와 잔을 주고받았던, 내 앞에서 우셨던, 나에게 아빠라 써 주셨던 그분이 되었다. 아버지가 되어 아들이 되었다.

4

젊은 날의 고독
런던에서 쓴 시
내 삶의 두 가지 만남

젊은 날의 고독

벌써 써 준다고 한 지가 한참이나 지났는데 이제야 무엇을 쓸까 고민하고 있다. 뭔가 유익한 것을 토해 내어야 한다는 강박관념도 있지만, 한편으로는 내가 여러분 나이 비슷한 때 맡았던 냄새나 기억을 나누어 보는 것도 재미있으리라 생각한다.

대학을 졸업하자마자 대학원에 진학하여 공부하는 것이 그때 나의 간절한 꿈이었다. 허나 납득하기 힘든 이유로, 쓰라린 패배를 맛보며 한 학기를 그냥 기다려야 했다. 그러면서 끄적였던 몇 편의 시를, 창피함을 무릅쓰고 여기 적어 보려고 한다. 학교 근처 고시원 3층 창가에 살면서 작은 학원에 나가 아이들과 씨름하던, 열정은 있지만 어수룩했던, 내 청춘의 유년기였다.

< 되고 싶다 >

오늘은 시인이 되고 싶다.
사르트르처럼 어느 카페에 앉아
명문들을 죽죽 써대고 싶다.
과학철학자도 되고 싶다.
A.F.차머스처럼 귀납주의, 상대주의,
반증주의 등을 죄다 비판해 보고 싶다.
대학원생도 되어 보고 싶다.
무잇보다 언구도 헤 보고 싶다.
난 꿈을 꾸고 싶다.
잠도 자고 싶다.

< 졸업 >

밤까지 학교에 불이 꺼지지 않는 걸 보고
깜짝 놀라,
계단을 오르는 후배 하나 잡아
물어 보았다.
그런데 시험이란다.
아! 아!
담뱃불을 빌리고는 작별인사를 했다.
졸업한 지
이제 겨우
두 달여.
분주한 그들의 모습은
스크린 속에 나오는
배우들의 몸짓.
난
까맣게 그을린 도시의 밤을
연기로 달래며
서관을 빠져나왔다.
지향 없는 발걸음은
어느덧 숙소에 와 닿았다.
날이 가볍게 맑다.

내일 빨래 걱정을 하고
이젠 잠도 좀 청해 본다.

첫 번째 시에서는, 이름난 학자들처럼 대학원에서 책과 이론 속에 파묻혀 공부해 보고 싶었던 열망이 묻어난다. 두 번째 시에서는, 졸업한 지 두 달여밖에 안 됐지만, 벌써 학사일정 감각을 잃어버린 나를 발견하게 된다. 길 잃은 강아지처럼 가엽다. 수십 명의 고시원생들과 두 대밖에 되지 않는 세탁기. 다음날 일찍 일어나 빨래 돌릴 걱정을 한다.

< 밤 새우기 >

눈을 뜨고 밤을 새운다.
귀도 열고 밤을 새운다.
숨소리가 들린다.
빙기 소리도 들린다.
어설픈 나의 강의 소리도 들린다.
맨 뒷자리에서 비웃는 아이의 목소리도.
저번 장가간 선배는 잘 있는지.
소록도에 공연 간 누나는 잘 있는지.

가끔 열리는 뒷방 학생은
열심히 행시 공부를 하는지.

< 雨歌(우가) >

천장엔 벼락이 새고,
빗방울이 후드득 후드득
나의 심장을 두들기고,
병자를 실은 앰뷸런스는
의자 밑을 지나간다.
번쩍이는 상념은 삐거덕거리는
펜대를 짓누르고,
라디오에선 귀 익은 성우의
애절한 사연을 읽는 목소리가
목소리가 들린다.

고시원에서 살아본 사람이면 누구나 잘 알겠지만, 참으로
벽이 얇다. 너무하다는 생각이 들 정도로 말이다. 그래서 작
게 속삭이거나 심지어 방귀 끼는 소리마저 선명하다. 그런
밤이면 더욱 잠을 이루기가 어렵다. 그래, 온갖 상념에 빠지

게 된다. 그리고 그럴 때면 자괴감이 들곤 했다. 특히 당시 처음 나가 강의하던 학원에서 과연 내가 잘 가르치고 있는지 퍽 걱정했던 기억이 난다. 비가 오는 날이면 청승맞은 생각들을 많이 하게 되는데 그것을 더욱 부추기는 것이 라디오였다. 특히 자정에 하는 목소리 고운 성우의 가요 소개 방송은 사연도 애절했고 목소리도 애절했다.

< 쳐다봄 >

그녀의 눈빛은 맑다.
특히 나를 만나는 날이면
더 예쁘게 하고 온다.
나는 그녀를 얼핏 외면한다.
처음엔 몰랐는데 이제는 눈치 챘는지
그녀는 새침해졌다.
달래 주어야겠다고 생각고는
평소 안 하던 다정함을 굴었다
그녀는 잠깐 눈짓하더니
더 멀어졌다.
후배 생각이 갑자기 났다.
연애는 아예 못하는 걸까?

< **두려움** >

"시방 나는 짐승."
이라는 말은 나를 두고 하는 얘기.
끊임없이 반성을 해도 나는
역시 짐승.
시커먼 울음소리는 내지 않지만,
멀건 얼굴에 악의 없이 생겼지만,
나를 잘 이해하는 사람들은 나의
얼굴이 점점 짐승스러워진다고 한다.
이 말을 듣고 가끔은
아주 가끔은
울적해했다.
그러나 이젠 짐승이 되리라 결심한 까닭에
새삼 그런 말에 마음 아파하지도 않는다.
그렇지만 거울을 볼 때
나는
두렵다.
선한 목소리로 말하는 사람들을
가슴으로 닮고 싶어
하다가
그들의 뒷소리를 들으면 난

또 하나의 짐승을 만난다.
세상은 짐승투성이.
냄새 없이 썩어가는 마음 한 귀퉁이
적어도 전염은 시키지 말아야 한다는
생각에
오늘도 밤이 다 흘렀다.

뭐니 뭐니 해도 사람 간의 관계만큼 어려운 게 또 있을까. 더욱이 좌충우돌의 젊은 날에는 이성에 대해서나 나 자신에 대해서나 어떻게 생각하고 어떻게 대해야 하나 참으로 알기가 쉽지 않다. 나 역시 그때 나에게는 연애를 할 능력이나 자격조차 없다고 생각하기 일쑤였다. 지나친 자괴감이 들곤 했다. 때로 나 자신이 너무 짐승 같다 여겨져 세상으로부터 숨고 싶기도 했다. 그러나 세상 역시 짐승들로 가득 차 있기는 마찬가지였다. 자아정체성을 찾고자 하는 고행의 길이었다.

이제 마지막 시 하나 더 들고 다소 길어진 글을 마무리하고자 한다. 누군가 '참을 수 없는 존재의 가벼움'을 한탄했다. 나 역시 그러한 가벼움으로부터 늘 벗어나려고 발버둥을 쳐왔다. 그러나 그때보다 지금이 얼마나 더 나아졌는지 모르겠다. 여러분은 어떤가?

< **무겁다** >

가볍다. 가볍다.
너무 가볍다.
내가
나의 시가
내 숨소리가.
나의 눈이
머리가
너무 가볍다.
무겁다.
너무 무겁다.
지탱하기 힘들게 무겁다.
나의 마음이

런던에서 쓴 시

지난 한 해 동안 연구년을 다녀왔다. 교수로서 처음으로 맞이하게 된 연구년 동안 참 많은 것을 하고 싶었다. 무엇보다 연구였다. 그러나 결국 해야 할 연구는 하지 못하고 하고 싶은 연구만 하게 되었다. 황무지에서 밭을 일구는 심정으로 정말 한 치 앞을 예측할 수 없는 상황에서 거의 매일 매일이 방황과 투쟁의 연속이었다.

< 마음이 답답하여 >

마음이 답답하여
남의 시를 읽어 보다가
마음이 더 답답하여
나의 글을 쓰기로 했다.
하여야 할 일을 앞에 두고
차마 하지 못하는 것은 왜일까?
생각해 보면
모든 것이 마련되어 있고
그저 하면 될 것을
왜 망설이며
하지 못하고 있어야만 하는가?
방황하는 마음은
너무 빨리 바뀌어
하고 싶은 일을 막 찾다가도
이내 찾지 않고 싶은 것에 벌써 다다라 있다.
이보다 더 못한 상황을 생각해야지
하며 달래 보지만
때마침 소화까지 안 되는 참이라
그걸 핑계로 계속 답답한 채로 있다.
이불 뒤집어쓰고

자 버리면 좀 나을 것 같은데
그마저도 용기가 나지 않아
두리번거리고 있다.

글을 읽어도 읽히지 않고 붓을 들어도 써지지 않았다. 참으로 고통스러운 순간들이었다. 내가 런던까지 와서 왜 이 고생을 해야 하나 하고 자문한 것이 한두 번이 아니었다. 그래도 내가 가야만 하는 길을 계속 걷고 싶었다. 그러면서 정신은 더욱 예리해지고 마음은 더욱 투명해져만 갔다.

< **마음이 투명해질 때** >

마음이 투명해질 때,
나는 사물의 아주 끝 가장자리까지 잘 바라볼 수 있게 된다.
무성한 잔디밭이 끝없이 펼쳐진 사진 속에서도
산니의 내우 끝까지 이무 어려움 없이 하나하나 볼 수 있다

그것은, 그것은
지극히 순수한 마음을 순간 가졌기에 가능하다.
아무 거리낌 없는 시각은

오로지 아무 거리낌 없는 마음의 상태에서만이 가능하다.

햇살의 나락 하나씩,
달 표면의 거친 자국 하나씩,
귤껍질의 움푹 파인 자국 하나씩,
내 손등의 주름살 하나씩,
그저 모든 것이 선명하고 투명하기만 하다, 그때

그러한 바라봄 속에서 곧 궁극의 아름다움을 느끼게 된다.
사물의 있는 그대로를 속속들이 바라보는 속에서
있는 것 그대로의 아름다움을 만끽하게 된다.

이젠 맨눈으로 사물을 바라보길 원한다.
맨눈으로 사물의 있는 그대로의 아름다움을 바라보길 바란다.

드디어 아무것도 보이지 않고 그저 막막하기만 하던 것이
가시기 시작하였다. 내가 찍어 온 발자국들이 선명하게 내
뒤를 따르고 있었다. 물론 고독하였지만 어느 순간부터 서
서히 그것을 즐기고 있었다.

< 길을 걸으며 >

길이 없어 보이는 곳에서
길을 만들고
그래서 처음 걷게 되는 그 길을
걷는다는 것은
퍽 고단한 일이다.
그러나
걸어온 길을 가끔 돌아보면서
그간의 고단함이 헛된 것이 아니었음을 깨닫게 될 때,
구슬땀은 청량한 이슬이 되어 가슴을 적신다.
홀로 길을 걸으며
나 없이 조화로운 세상을 꿈꾸고
그 꿈속으로 다시 들어가
나도
그 한 부분이 되고 싶다.

해야 할 연구는 이미 내가 잘 알고 있었던 영역이었지만,
하고 싶은 연구는 미지의 것이었다. 해야 할 연구를 했더라
면 더욱 많은 연구 결과를 거머쥘 수 있었겠지만, 하고 싶
은 연구를, 미지의 연구를 하게 되다 보니 내게 돌아온 것

은 땀과 고통, 그리고 고작 한두 편에 불과한 논문뿐이었다. 그러나 수많은 논문과 책을 읽으면서 나는 내가 이제껏 당연하다고, 그것만이 진실이라고 믿어 왔던 것에서 벗어나서 새로운 세상을 만나게 되었다. 일상의 소소한 기대와 그에 대한 보람을 느끼는 대신, 큰 깨달음을 얻고 미래의 새 연구를 위한 초석을 다지게 된 것이다.

10년 전에 국가장학금을 받아 박사 후 연수의 길을 걸었던 이곳 런던에, 이제 교수가 되어 다시 오게 되었다. 그땐 내가 그동안 공부한 것을 다른 이에게 알리는 데 몰두해 있었지만 이제는 아무도 모르는 새로운 영역을 개척하고 있다. 그 과정은 참으로 고통스러운 것이었지만 그것이 나의 살아 있음을 깨닫게 해 주었다. 앞길이 막막하여도 매 순간 최선을 다하였을 때 그것은 나의 살이 되고 뼈가 되고 정신이 되고 활자가 되어 다른 이의 마음을 움직이고 다시 나의 마음을 일깨워 준다.

< 정말 그럴 것입니다 >

목표가 주어졌다면
커다란 인내심으로

남들이 알아주지 않아도
묵묵히
그저
앞으로 나아갈 뿐입니다.

한 손으로는
땀을 훔치고
다른 한 손으로는
눈물을 닦으며
이를 악물고
눈은 정면을 응시한 채
비오는 진흙탕 속에서
수렁에 빠진 두 발을
힘겹게 번갈아 옮겨 가며
앞으로 나아가는 것입니다.

매우 느린 발걸음이지만
비가 오고 바람이 불고 눈보라가 치던 날이 가고
우연히 해가 나오고 바람이 잔잔해질 무렵
어느새
나는
푸르른 잔디 언덕에 서서

따사로운 햇볕을 쏘이며
웃음 짓게 될 것입니다.

얼룩진 얼굴은 하늘을 향한 채,
눈은 차마 뜨지 못하고,
그저 바보처럼 울고 웃으며
시간을 뚫고 걸어온 나의 고독한 발걸음들이
정말
얼마나 아름다운 몸짓이었는가를
깨닫게 될 것입니다.

정말 그럴 것입니다.

하고 싶은 일을 하다가도 마음이 답답하여 어찌할 바를 모
르다가 그래도 열심히 추구하다 보면 마음이 투명해져 사물
의 본질을 더듬을 수 있게 되고 그렇게 걸어온 길의 발자국
을 뒤돌아보면서 정말 그럴 것이라는 확신을 하게 된다.

언제부터 시작되었는지, 언제가 마지막이 될 것인지 도무지
알 수 없는 생에서 진리를 찾아 나서는 것은 정말 가슴 뛰
는 일이다. 런던에서 내가 깨달은 것은 "우리가 서로를 이

해할 수는 있다. 그러나 의미를 해석할 수 있는 건 누구나 자기 자신뿐이다." (『데미안』(전영애 옮김, 2007, 민음사) 서문(p.9)에서)라는 말의 의미이다.

내 삶의 두 가지 만남

내 인생을 이루고 있는 세 가지 만남이 있습니다. 첫째는 거룩한 만남이고, 둘째는 흥미로운 만남이며, 셋째는 설레는 만남입니다. 여기 두 번째와 세 번째 만남을 살며시 소개해 보고자 합니다. 그 두 가지 만남을 아쉬움 없이 다 뿌듯하게 말하려면 아마도 밤하늘의 은하수처럼 긴 이야기가 필요할 것입니다. 그 은하수를 이루는 작은 별 두 개를 따다가 종이 위에 적습니다. 별들은 시가 되어 내 마음을 적시고 이제 여러분의 눈으로 들어갑니다. 그저 나의 두 별이지만 때로 그것은 여러분 한 사람 한 사람의 또 다른 별이 되어 그 은하수에 총총히 박히게 되리라 생각합니다.

< 두 번째 만남의 별 하나 >

-형태소를 위한 서시-

내가 당신을 알기 전에
미리 단어를 알았습니다.
단어가 그러더군요.
자신은 발화에서 홀로 쓰일 수 있다고요.
자기보다 아래에 있는 형태소는 그럴 수가 없다 해서
그때부터 나는 당신이 갑자기 궁금해지기 시작했습니다.

언제인가 당신에 대한 정의를 들을 때가 있었습니다.
의미를 가진 가장 작은 언어단위라고
비로소 당신으로부터 일정한 이미가 주어지기 시작한다고
당신은 그렇게 의미를 가진 존재로 내게 다가왔습니다.
그리고 바로 당신이 단어를 이루고 있다는 것을 알았습니다.
그렇게 큰소리치던 단어가
바로 당신을 토대로 이루어졌다는 것을 알았습니다.

당신은 말이 없이 그저 의미를 가진 채 웃고 있습니다.
자신이 비로소 자립성을 가지기 시작하는 언어단위라고
단어가 그렇게 주장하여도
당신은 지긋이 웃음을 지을 뿐입니다.
그리고 그 미소 속에서
나는 당신에 대한 진실을 알게 되었습니다.
당신의 일부인 자립형태소는 곧 단어일 수밖에 없다는 것을.
그러나 당신의 또 다른 일부는 의존형태소이지요.
나는 의존형태소를 더 사랑합니다.
의존형태소야말로 당신과 단어를
분명히 구별 지어 주는 것이기 때문입니다.

계절은 바야흐로 봄을 가리키고 있습니다.
모두가 흐드러지게 피어 있는 단어에 취해 있을 때
나는 그 안의 당신을 생각합니다.
은은한 의미로 조용히 단어를 이룬 채
내색하지 않고 그저 웃음 짓고 있는 당신을.

당신을 향한 나의 모든 언어마저
당신이 내뿜는 의미들로 가득 차 있습니다.

< 세 번째 만남의 별 하나 >
-아내에게 이르는 길-

처음에는 갈 길이 하도 달라
그저 한 번 만나 수줍게 인사하고 마는 것이라 생각했습니다.
첫 만남의 시간이 길어지는 것도
그저 한 번의 만남이라서 그런 줄로만 알았습니다.
만남이 흩어지고 나는 돌아갈 길 위에서 그저 서성였습니다.
왜인지도 모르게 그저 서성거렸습니다.

그래도 두 번은 만나야겠다고 편지를 했지만
아무 답이 없었습니다.
그러면 그렇지 하고 체념하려 했지만
눈길은 자꾸 전화기에 머물렀습니다.
하루가 지나고 이틀이 지나고 여러 날이 지날 무렵
꿈꾸고 일어나 이불을 개듯 마음을 추스르며
그러면 그렇지 하고 한숨을 쉬었습니다.

이제 마음을 만나기 전으로
완벽히 되돌릴 수 있을 것처럼 여기기 시작할 때
전화가 울렸습니다.
나도 기다렸고 그도 기다렸었습니다.

한 번 만난 이후로
그렇게 죽 기다리는 사이가 되어 버리고 말았던 것입니다.

오후 아홉 시 사십오 분 만원 버스 안에서 전화를 하였습니다.
영국에서 한국으로 한국에서 한국으로
마음은 빛보다 빨리 그에게 다가가 속삭였습니다.
한 번의 만남이 그토록 오랜 기다림을 낳았고
매 순간의 기다림은 반가운 목소리가 되어
서로의 귓속을 울렸습니다.

세상이 처음 열릴 때
맺어진 사랑.

내가 태어나고
그가 태어나서
각자 걸어온 모든 길이
그렇게 한 점에 모였습니다.

내 모든 기다림은
오로지
그를 만나기 위한
눈부시게 빛나는 기쁨이었습니다.

우리가 태어난 날

바로 그때부터

나는 그대를, 그대는 나를 향해

쉼 없이 달려오고 있었던 것입니다.

에필로그

-세상에 없는 시-

시 낭송회에 초대받아 혼난 적 있어

고등학교 어떤 선배는
시를 쓰고
남들 앞에
한 번 읽고는
그 자리에서 태워 버렸지

그 자리에 있던 나는
그게 너무 아쉬워
나라도 적어야 하나 했는데
아무도 적는 이 없어
나도 못 적었어

그때 사라진 시는
그 선배의 머릿속엔
남아 있을까

그렇게 시를 다 써 버린 그 선배는
나중에 시인이 되었을까

세상에 더는 존재하지 않는 시로
그 선배는
언어에 집착하는
나를 우리를
놀라게 해 주려 했는지도 몰라

아니
언어에 집착하려는
자신을
혼내 주려
했을 수도 있겠지

여하튼
나를
혼내는 데는
적어도
성공했어

그 후로 나는 언어에 더 집착하게 되었지

* * *

살다가 문득문득 그 선배가 생각납니다.
아무래도 난 그 선배처럼 살 자신은 없습니다.
적어 놓은 글마저 없다면 너무도 아쉬울 것 같아서요.

이 책은 시문집(詩文集)입니다.
1부와 2부는 시이고, 3부는 주로 수필이며,
4부는 시를 품은 수필입니다.

너는 내 것이 아니고, 나도 네 것이 아니라는 마음으로
나 자신에게, 나의 아이에게,
그리고 여러분에게 들려주고 싶은 노래입니다.

1부는 일상 속에서, 2부는 학문 안에서
3부는 가족 안에서, 4부는 시간의 흐름과 만남 속에서.
때로는 담담하게, 때로는 유쾌하게, 때로는 눈물지으며.

나의 노래가 여러분의 또 다른 별이 되어
마음의 은하수에서 총총히 빛나길 바랍니다.
노래할 수 있게 해 주신 하나님께 감사드립니다.